Bienvenue dans le monde des

Téa Sisters

ALBIN MICHEL JEUNESSE

Salut, c'est Téa, la sœur de Geronimo Stilton ! Je suis envoyée spéciale de « l'Écho du rongeur », le journal le plus célèbre de l'île des Souris. J'adore les voyages et j'aime rencontrer des gens du monde entier, comme les Téa Sisters. Ce sont cinq amies vraiment épatantes. Je vous les présente !

Colette a une vraie passion pour le rose et c'est la fille la plus *fashion* du groupe. Toujours occupée à soigner son look, elle est sans cesse en retard !

Violet aime étudier et découvrir sans cesse de nouvelles choses. Elle aime la musique classique et rêve de devenir une grande violoniste !

Paméla mangerait sa pizza adorée même au petit déjeuner. C'est une mécanicienne accomplie. Donnez-lui un tournevis et elle vous réparera n'importe quel moteur!

PAULINA est un peu timide et brouillonne, mais aussi très altruiste. Comme elle aime voyager, elle connaît des gens de tous les pays.

Nicky est passionnée d'écologie et de nature. Elle vient d'Australie et aime la vie au grand air. Elle ne tient pas en place!

Téa Sisters

Texte de Téa Stilton.
*Basé sur une idée originale d'*Elisabetta Dami.
Coordination des textes de Sarah Rossi *et d'*Alessandra Berello *(Atlantyca S.p.A.).*
Coordination éditoriale de Patrizia Puricelli.
Édition de Daniela Finistauri.
Coordination artistique de Flavio Ferron.
Assistance artistique de Tommaso Valsecchi.
Couverture de Giuseppe Facciotto.
Illustrations intérieures de Barbara Pellizzari *(graphisme) et de* Davide Turotti *(couleurs).*
Graphisme de Yuko Egusa.
Cartes : Archives Piemme.
Traduction de Béatrice Didiot.

**Les noms, personnages et traits distinctifs de Geronimo Stilton et de Téa Stilton
sont déposés. Geronimo Stilton et Téa Stilton sont des marques commerciales,
licence exclusive d'Atlantyca S.p.A. Tous droits réservés.
Le droit moral de l'auteur est inaliénable.**

www.geronimostilton.com

Pour l'édition originale :
© 2009, Edizioni Piemme S.p.A. – Via Tiziano, 32 – 20145 Milan, Italie
sous le titre *Tea Sisters in pericolo !*
International rights © Atlantyca S.p.A. – Via Leopardi, 8 – 20123 Milan, Italie – www.atlantyca.com –
contact : foreignrights@atlantyca.it
Pour l'édition française :
© 2011, Albin Michel Jeunesse – 22, rue Huyghens, 75014 Paris – www.albin-michel.fr
Loi 49-956 du 16 juillet 1949 sur les publications destinées à la jeunesse
Dépôt légal : premier semestre 2011
N° d'édition : 19337/4
ISBN-13 : 978 2 226 21842 1
Imprimé en France par Pollina s.a. en mai 2012 - L61056H

Stilton est le nom d'un célèbre fromage anglais. C'est une marque déposée de Stilton Cheese Makers'
Association. Pour plus d'informations, vous pouvez consulter le site www.stiltoncheese.com

Téa Stilton

VENT DE PANIQUE À RAXFORD

ALBIN MICHEL JEUNESSE

VENT
DE PRINTEMPS

Depuis plusieurs jours, un fort **VENT** souf-
flait sur l'île des Baleines, venu on ne sait d'où.
Il avait emporté avec lui tous les nuages, et, dans
le ciel bleu et limpide, brillait un joyeux soleil
PRINTANIER. De gros nuages
noirs annonciateurs de **tempête**
s'accumulaient, en revanche, sur
la tête de Vanilla de Vissen. En
effet, la rivalité entre les Téa
Sisters et les Vanilla Girls
devenait chaque jour
plus **ÂPRE**.

Tous les plans imaginés par Vanilla pour faire apparaître ses camarades sous un mauvais jour tournaient court, et Vanilla mûrissait une forte envie de vengeance.

– Je trouverai le moyen de leur faire mordre la poussière à ces *FRIMEUSES* de Téa Sisters ! répétait-elle en boucle à ses amies. J'ai seulement besoin de la bonne OCCASION !

Et l'occasion se présenta, quelques jours après, à bord du premier hydroglisseur du matin ! Elle avait de larges épaules, un torse **MUSCLÉ**, un cobra tatoué sur le bras droit et un dragon sur le gauche, le tout surmonté d'une **mèche** rebelle. Et elle portait le doux nom de… *CHACAL* !

Le recteur Octave Encyclopédique de Ratis avait
convié ledit Chacal à tenir un cycle de conférences **spéciales** à Raxford. C'est moi,
Téa Stilton, qui le lui avais suggéré !

– Ce qu'il faut aux apprentis jour-
nalistes en quête d'aventure, c'est
un cours sur les **TECHNIQUES
DE SURVIE**, avais-je déclaré à
mon très cher ami le recteur. Et je
connais l'enseignant qu'il vous faut :
mon frère Geronimo a couru le marathon du
désert et escaladé le Kilimandjaro
avec lui !

L'OURAGAN CHACAL !

À peine descendu de l'hydroglisseur, Chacal inspira une grande bouffée d'AIR frais et se dirigea à grands pas vers le collège.

En un clin d'œil, il se trouva dans le jardin de Raxford. Les cours n'avaient pas encore commencé et les étudiants les plus SPORTIFS, comme Nicky et Craig, prenaient un peu d'exercice avant d'aller en classe.

– Bien joué, jeunes chabichous ! les interpella Chacal en SOURIANT. D'abord on exerce son corps, puis on nourrit son esprit !

Et il se mit immédiatement à leur dispenser de précieux conseils sur la meilleure manière de s'entraîner.

– Attention au dos, ne le cambrez pas ! Fléchissez les chevilles en sautant, c'est très important !

Chacal joignait les gestes à la parole.

Rapidement, d'autres élèves du collège, INTRI-GUÉS par cette leçon improvisée, s'attroupèrent autour d'eux.

– Et n'oubliez pas les exercices de STRET-CHING pour gagner en souplesse !

En plein milieu d'une démonstration sur l'art de bien étirer ses muscles, le recteur s'approcha à son tour. Octave Encyclopédique de Ratis adressa un grand sourire à Chacal et lui tendit chaleureusement la main.

– Bienvenue au collège de Raxford !

Puis, le recteur se retourna vers les étudiants et ajouta :

– Ne manquez pas la présentation du cours du professeur Chacal, à 9 heures dans l'amphithéâtre ! Nous vous exposerons le programme et commencerons à enregistrer les inscriptions. À bientôt !

Sur ces mots, il rentra en discutant avec Chacal.

La *nouvelle* de l'arrivée de ce professeur VOLCANIQUE se répandit rapidement, et les garçons et les filles du collège eurent tôt fait de lui trouver un surnom : *l'ouragan Chacal !*

Un cours de survie

Dès 8 heures et demie, l'amphithéâtre était rempli d'étudiants excités et curieux.

Craig était le plus emballé.

– Le rongeur qui vient d'arriver, il assure ! Cette année, avec un entraîneur comme lui, on gagnera sûrement le championnat de **BASE-BALL**, et peut-être même... la régate du collège !

Shen observa en riant :

– Il faudra vraiment qu'il soit *magicien* ! Parce que, gagner avec l'antiquité qui nous sert de bateau, ce serait un miracle, hé ! hé !

Parmi les filles aussi, la CURIOSITÉ était grande.

Vanilla, par exemple, qui n'était pas une fanatique de **SPORT**, avait tenu à s'asseoir au premier rang.

– Parfois, la nouveauté peut être utile, qui sait ? avait-elle suggéré à ses amies en arborant l'un de ses PERFIDES sourires en coin.

À 9 heures pile, Chacal pénétra dans l'amphithéâtre et s'adressa aux étudiants d'un ton ferme et décidé :

– Salut, jeunes chabichous ! Je suis ici pour faire de vous de vraies souris AVENTURIÈRES !

Au premier rang, les Téa Sisters l'écoutaient, enthousiastes, tandis que Vanilla, tordant le nez, marmonnait à ses amies :

– Pfff ! Quel rat des cavernes !

Le recteur, qui avait trottiné aussi vite qu'il avait pu derrière Chacal, s'arrêta pour reprendre son souffle, puis expliqua :

– Le professeur Chacal est célèbre pour ses **EXPÉDITIONS EXTRÊMES** sur toute la surface de la planète ! Ici, à Raxford, il tiendra un séminaire sur les « techniques de survie ». Le cours sera d'une durée limitée et les inscriptions sont ouvertes à tous !

Il repassa la parole à Chacal, qui retira ses indéboulonnables LUNETTES MIROIR et scruta d'un œil critique le parterre d'étudiants.

– Je ne vois... qu'oreilles AVACHIES et queues FLASQUES !

Les étudiants baissèrent les yeux timidement.

– Mais ne vous en faites pas ! continua Chacal d'un ton encourageant. Mon cours de survie vous apprendra à affronter sans mollir les dunes incandescentes du DÉSERT ou les tempêtes de NEIGE des pôles… Parole de Chacal !

La présentation du cours fut brève, mais, quand les étudiants sortirent de l'amphithéâtre, tous souriaient, conquis !

QUELLE ÉNERGIE !

– Il est **sympathique** et semble vraiment à la hauteur ! commenta Paulina.

Violet acquiesça, convaincue.

– Et pour suivre son cours, il ne faut pas que des muscles, mais aussi de la JUGEOTE ! Moi, j'aimerais y assister, et vous ?

Nicky sourit.

– Et comment ! Il faut toutes nous y inscrire !

– Très juste, sœurette ! renchérit Paméla.

Toutes se tournèrent alors vers Colette, qui n'aimait pas les activités REMUANTES... susceptibles de ratatiner son brushing !

Mais, ô surprise, Colette était sur la même longueur d'onde :

– Vous me posez la question ?! *Évidemment* qu'il faut qu'on s'inscrive !

EN ROUTE, JEUNES CHABICHOUS !

Le nouveau cours de survie suscita une avalanche d'inscriptions !

Chacal avait décidé de donner ses COURS tôt le matin et en pleine nature. Sa devise était :

SOURIS DÉSŒUVRÉE,

souris enveloppée !

Il aimait stimuler ses élèves avec des phrases amusantes qu'eux se *plaisaient* à répéter : « Soyez totototototototoniques ! », « Glissez, filez comme le cafard sur le beurre » ou encore « Toujours de l'avant, jeunes chabichous ! Courage ! Hop, hop, hop ! »

EN ROUTE, JEUNES CHABICHOUS !

Chacal prenait la tête de l'imposant groupe d'étudiants, MONTANT et DESCENDANT au gré des sentiers boisés qui environnaient le collège. De cette manière, tous continuaient à faire de l'exercice en s'amusant, et lui pouvait expliquer avec ce qu'il avait sous la main comment grimper sur un arbre pour voir plus loin… comment faire

DUR À FAIRE, CE NŒUD...

REGARDE, LÀ-BAS !

CES CHAMPIGNONS SONT COMESTIBLES !

MMMH !

des **NŒUDS** très résistants… comment distinguer un champignon comestible d'un **VÉNÉNEUX** !
Pam trouvait Chacal extrêmement sympathique.

– Avec lui, on ne s'ennuie jamais ! Il est vraiment *fantasouristique* !

Pour Nicky, c'était l'entraîneur idéal.

– Il sait qu'un sportif a besoin d'avoir une grande confiance en lui et de poursuivre ses rêves !

Les autres Téa Sisters, elles aussi, le suivaient très volontiers, chacune pour des raisons bien à elle.

Paulina *admirait* sa connaissance de la nature.

– Il trouve sans cesse des choses utiles à nous enseigner, mais surtout il nous apprend à respecter l'ENVIRONNEMENT !

Et Colette d'ajouter :

– Ce n'est pas tout ! Il ne force jamais aucun d'entre nous... Et, grâce à ces belles promenades, je me sens beaucoup plus **TONIQUE** !

Enfin, Violet avait découvert l'un des petits secrets de Chacal :

– Il aime le sport, mais aussi la *poésie*... Il m'a prêté un livre magnifique !

Mais tous les étudiants n'admiraient pas Chacal autant que les Téa Sisters.

Vanilla, par exemple, trouvait ses leçons parfaitement inutiles :

– Des trucs de **TROGLODYTES** ! Aujourd'hui, grâce à la technologie, on fait mieux en bien moins de temps !

C'était pourtant elle qui avait insisté auprès de ses amies pour qu'elles suivent ce cours toutes ensemble...

– Pourquoi as-tu tenu à ce qu'on s'inscrive, alors ? demanda Connie, **perplexe**.

– Parce que les Téa Sisters l'ont fait ! rétorqua Vanilla. Je pensais qu'en utilisant nos propres moyens ce serait un *jeu d'enfant* de devenir les premières du cours, mais avec ce *rat des cavernes*, rien à faire... Il sait seulement nous faire **TROTTER** !

La seule des Vanilla Girls que les leçons de Chacal intéressaient vraiment était Zoé, parce qu'elle était secrètement *amoureuse* de Craig ! Et comme lui se passionnait pour ce cours, Zoé ne ratait pas une seule leçon.

Malheureusement, Craig était trop **DISTRAIT** pour s'apercevoir de sa présence !

ÉPREUVE À L'HORIZON

Après deux semaines de marche et d'entraînement, Chacal décida que le moment était venu de TESTER ses étudiants.

– J'ai organisé une épreuve de survie par équipes de deux ! expliqua-t-il au recteur. Deux jours en pleine forêt pour mettre en pratique les notions apprises pendant le cours !

Le recteur était un peu HÉSITANT.

– Euhm… qu'est-ce que les étudiants devront faire exactement ?

– *Survivre !* répliqua Chacal, comme si cela allait de soi. Ils devront construire un refuge et se trouver à boire et à manger. PAS de matelas moelleux ! AUCUN magasin où faire les courses ! ZÉRO robinet !

Le recteur battit des paupières, encore un peu troublé.

– Et pourquoi des équipes de deux ?

Chacal précisa :

– Savoir collaborer est très important ! Mon objectif est justement de faire travailler ces jeunes en bonne **harmonie** et dans le respect de la nature !

– Parfait, approuva le recteur, enfin convaincu. C'est un apprentissage fondamental pour nos étudiants ! Ensuite les participants pourront écrire des *articles* pour raconter leur expérience...

Le recteur s'emballa :

– Je chercherai un magazine disposé à publier le meilleur de ces articles : ce sera le privilège de l'équipe gagnante !

Chacal acquiesça :

– La récompense à la clé sera, bien sûr, l'article publié, mais aussi l'épreuve elle-même : quand on ESCALADE une montagne, le véritable objectif est de le faire dans les règles !

Chacal avait déjà minutieusement EXPLORÉ l'île des Baleines, et le lieu qui lui semblait le plus adapté pour l'épreuve de survie était la forêt des Faucons.

Il déroula une CARTE sur le bureau du recteur et expliqua :

VOICI L'ENDROIT !

– Chaque équipe doit pouvoir disposer de beaucoup d' E S P A C E . Donc, vu la taille de la forêt, j'ai calculé qu'il ne pourrait pas y avoir plus de **DOUZE** participants !

Lorsque le programme de l'épreuve fut épinglé sur le tableau d'affichage, l'effervescence monta immédiatement chez les élèves de Chacal.

Nicky courut rapporter la nouvelle à ses amies :

– L'épreuve n'est ouverte qu'à six équipes ! Il faut **AB-SO-LU-MENT** être les premières à s'inscrire !

Colette semblait hésitante :

– Euh, je ne sais pas si…

Mais Paméla intervint avant qu'elle ait pu finir sa phrase et la prit par le bras :

– On fera ÉQUIPE ensemble, Coco ! Allez !

Zoé se précipita dans la chambre de son amie, mais trouva Vanilla de très **MAUVAISE** humeur, occupée à arranger l'un de ses ongles **CASSÉ**.

Lorsqu'elle apprit qu'il était question de passer deux jours en pleine FORÊT, elle explosa :

– J'en ai par-dessus la tête de ce *rat des cavernes* ! Pas question de risquer d'abîmer ma manucure pour une stupide expédition à laquelle personne ne participera !

Zoé ne se laissa pourtant pas DÉCOURAGER : ce pouvait être une bonne occasion de se faire remarquer par Craig... Et, qui sait, peut-être même de se retrouver seule avec lui ?

UNE PETITE MOZZARELLA TROP GÂTÉE !

Le lendemain matin, les étudiants de Raxford ne tenaient plus en place à l'idée de participer à une vraie *ÉPREUVE* de survie.

CE SERA AMUSANT !

Les douze places disponibles avaient été réservées en un temps record, et tous attendaient avec curiosité de connaître leur zone d'affectation dans la forêt. Les cinq Téa Sisters avaient réussi à s'inscrire !

Entre-temps, Vanilla avait observé l'**ANIMATION** envahir le collège.

Elle eut soudain un doute : peut-être avait-elle **SOUS-ESTIMÉ** l'intérêt de cette épreuve...

Le doute devint une certitude quand Zoé lui avoua s'être **INSCRITE** et avoir entraîné Alicia avec elle. Vanilla, furieuse, rumina : « Les Téa Sisters vont tout mettre en œuvre pour gagner... Leur popularité atteindra des **SOMMETS** et moi, je ne pourrai rien y faire ! »

Sans réfléchir à deux fois, elle partit à la recherche de Chacal.

Elle le trouva à la cuisine, en train de discuter joyeusement avec la cuisinière Rondouillette.

– Donc, on est d'accord : pour le **DÉJEUNER**,

un bon plat de pâtes complètes et du poisson grillé ! Je viens de faire le tour de l'île à la nage et je dois récupérer de l'ÉNERGIE !

– Professeur Chacal ! l'interrompit Vanilla sur un ton impérieux. Je veux m'inscrire à l'épreuve !

Les moustaches de Chacal frémirent d'agacement face à ces manières autoritaires, mais il se contenta de répondre :

– *Négatif !* Les inscriptions sont terminées.

Rageusement, Vanilla tapa de la 🐾PATTE🐾 par terre.

– Mais, je l'*e-xi-ge* !

– Et moi, je te répète qu'il n'est plus temps, PETITE MOZZARELLA !

En plus de Rondouillette, un autre témoin, qui passait là par hasard, avait assisté à la scène : Elly Calamar.

Elly avait rendez-vous avec les Téa Sisters peu après et s'empressa de raconter cet échange d'amabilités à ses **amies**.

– Le professeur l'a vraiment appelée « petite mozzarella » ? s'esclaffa Paméla.

– Oui et il l'a plantée là ! confirma Elly en ricanant. Vanilla était **ROUGE** de rage !

– Bien fait pour elle. Comme ça, elle apprendra qu'on ne peut pas toujours *COMMANDER*, sermonna Violet.

Mais Colette secoua la tête.

– J'ai des doutes, Vivi. Il y a des choses que Vanilla n'apprendra jamais ! Et je parie qu'elle est en train de téléphoner à sa *maman chérie* !

Et, en effet, au même moment, Vanilla GLAPISSAIT dans les oreilles de Vissia :

– Ce rustre ne veut pas me faire participer !

À l'autre bout du fil, sa mère lui répondit avec un calme GLACIAL :

– Sois tranquille, mon petit bonbon en sucre, je m'en occupe !

Il était inconcevable que sa fille se voie répondre « NON », aussi s'empressa-t-elle de dire :

– J'appellerai le professeur… Comment dis-tu qu'il s'appelle ?

– *Rat des cav…* euh, *CHACAL* !

UN CADEAU
SUSPECT...

Chacal ne connaissait pas personnellement *Vissia de Vissen*. Il l'avait souvent vue à la une des journaux, mais il n'aurait certainement jamais imaginé qu'elle puisse l'appeler ! Entendre sa voix flûtée à l'autre bout du fil le plongea dans une certaine **CONFUSION** ! En fait, derrière sa rude carapace battait un cœur romantique, sensible au charme FÉMININ !

À peine revenu de sa surprise, Chacal bredouilla :

– Euh, oui, oui, madame... je suis bien Chacal !

Après quoi, il ne prononça plus une seule parole,
car Vissia se mit aussitôt à le couvrir d'éloges :

– Mes enfants m'ont tellement parlé de vous…
Votre cours est si novateur… Il me semble-
rait juste de le soutenir par une donation…

Puis, elle porta l'estocade finale :

– Je compte offrir au collège un bateau à voile
dernier cri ! Ensemble, nous permettrons à Raxford de gagner la fameuse régate du collège !

Ouuups !

– GLOUPS !

Chacal en fut si abasourdi que
le récepteur téléphonique glissa
de ses mains comme une
anguille ! Il le rattrapa
juste à temps pour entendre :

– … en échange, vous devrez
permettre à mes enfants, Vik et
Vanilla, de participer à l'épreuve de survie !

Clic ! Fin de la conversation !

Chacal se secoua pour dissiper son impression d'avoir reçu un saut d'eau GLACÉE sur la tête !

– La voilà celle qui a appris l'arrogance à Vanilla ! tonna-t-il, furieux. Sa mère veut offrir un nouveau bateau au collège uniquement pour me pousser à changer les règles...

Les moustaches de Chacal frémirent d'indignation : il n'allait certainement pas céder à un tel chantage !

Il prit la FEUILLE avec la liste des équipes inscrites à l'épreuve et se dirigea vers la porte, lorsque soudain lui vint une IDÉE. Il murmura tout haut avec un petit sourire :

– L'heure est venue de faire comprendre une chose très

IMPORTANTE à notre petite mozzarella trop gâtée !

En fait, l'épreuve pouvait être une bonne occasion de faire découvrir à Vanilla l'importance du RESPECT non seulement de la nature, mais aussi et surtout des autres…

– Je trouverai le moyen d'ajouter Vanilla et son frère aux participants sans pénaliser les autres… et l'expérience sera certainement d'une grande utilité pour tous. *PAROLE DE CHACAL !*

ÉQUIPES SURPRISES !

Lorsque la liste définitive des équipes avec leur zone d'affectation apparut enfin sur le PANNEAU D'AFFICHAGE, tous restèrent bouche bée.

Les équipes avaient été MODIFIÉES !

Chacal avait ajouté Vanilla et Vik à la liste des douze premiers inscrits, puis il avait laissé l'ORDINATEUR composer au hasard les sept équipes en lice pour l'épreuve. Et voici ce qu'il en était sorti :

ÉQUIPES RETENUES

Paméla-Tanja   Colette-Shen
Craig-Zoé   Alicia-Violet
Nicky-Elly   Vanilla-Sebastian

BINÔME SPÉCIAL

Paulina-Vik

Des cris de stupeur ne tardèrent pas à éclater. Les équipes recomposées avaient pris tout le monde de C O U R T !

Zoé bondit de JOIE quand elle vit que le sort l'avait associée à Craig !

Et Sebastian, qui, depuis le début de l'année, soupirait chaque fois qu'il voyait Vanilla, ne put détacher son REGARD de son nom, voisin de celui de sa belle.

Colette, elle, faisait la tête. Elle dit à Paméla :

– Ben voilà, comme on n'est plus ensemble, ça n'aura plus rien d'AMUSANT...

Mais Violet répliqua :

– Et moi, qu'est-ce que je devrais dire ? Je me retrouve à faire équipe avec Alicia !

– Mais vous ne comprenez pas ? intervint Nicky, décidée à défendre Chacal. Le prof l'a fait exprès !

Le changement dans les équipes est déjà une première épreuve, car, comme il le dit toujours :

Il faut savoir faire face à tous les imprévus !

Colette la fixa, peu convaincue.

– Oui, pour toi, c'est facile à dire : avec Elly vous formez une équipe *épatante* !

– Et moi ? gémit Paulina, déconcertée. Qu'est-ce que je suis censée faire ? Il est écrit : Vik et Paulina... *binôme spécial* !

Or le plus étonné de tous était justement Vik, qui n'avait pas été informé de son inscription !

PERPLEXE, Paulina le cherchait du regard, lorsqu'elle l'aperçut en pleine discussion avec sa sœur... Elle comprit aussitôt qu'une fois encore l'affaire sentait à plein 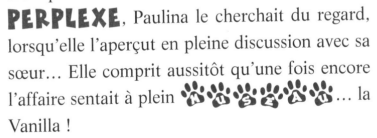... la Vanilla !

Pendant ce temps, Vanilla jubilait :

– Tu ne comprends pas, Vik ?! On y est arrivés, comme toujours ! Grâce à cette épreuve, je montrerai à tous qu'une de Vissen sait se tirer de toutes les situations avec grande classe ! J'ai un plan parfait : les Téa Sisters mordront la POUS-SIÈRE, tandis que moi, je TRIOMPHERAI sans effort… au nez et à la barbe de ce *rat des cavernes* aux leçons inutiles !

Vik haussa les épaules : il savait que quand Vanilla se mettait quelque chose en tête, il était impossible de la faire changer d'avis.

LES RÈGLES DU JEU

Convoquées par Chacal, les sept équipes se réunirent dans le gymnase.

Elles trouvèrent l'enseignant occupé à faire son ENTRAÎNEMENT de l'après-midi : cent pompes sur une seule patte !

– QUATRE-VINGT-DIX-HUIT...
QUATRE-VINGT-DIX-NEUF...
CENT !

HOP ! HOP ! HOP !

Dès que tous furent installés, Chacal remit à chacun une CARTE de l'île, puis il se lança dans les explications :

– Les six équipes seront conduites dans six endroits différents de la FORÊT DES FAUCONS. Chacune sera à bonne distance des autres. Vous ne devrez pas essayer de vous CONTACTER... compris ?

CE SERA UNE BELLE AVENTURE !

PFFF !

PRENDS LA TORCHE !

Et il leur fit voir le sac à dos qu'il avait préparé.

– Chaque équipe aura un kit comme celui-ci, contenant l'ÉQUIPEMENT de base. Vous n'emporterez rien d'autre ! Vous devrez vous débrouiller pour construire un abri, vous procurer à manger et à boire… Bref, vous devrez faire face à deux à toutes les nécessités et à tous les **IMPRÉVUS** !

– Et si quelque chose va de travers ? Si on se trouve en **DANGER** ? demanda Tanja, préoccupée.

UNE PELLE ?

VOICI LE MATÉRIEL !

Chacal sortit de la poche externe du sac à dos un petit appareil **NOIR**.

– Dans le kit, il y a un émetteur de détresse. Si vous appuyez sur le bouton rouge, des secours partiront immédiatement à votre recherche, de jour comme de nuit !

Puis il ajouta :

– Que ce soit bien clair : si l'un de vous appuie sur le **BOUTON**, les *deux* membres de son équipe sont rayés de l'épreuve !

Vanilla bondit, comme piquée par une AIGUILLE.

– Ce n'est pas juste du tout ! On ne peut pas perdre simplement parce qu'on a le malheur de faire équipe avec un *MOLLASSON* !

Elle lança un regard noir à son pauvre coéquipier, Sebastian, qui baissa les yeux, AFFLIGÉ.

Chacal posa une main sur l'épaule de Sebastian, puis il se tourna vers Vanilla et répondit :

– Tu pars du mauvais pied, petite mozzarella ! Tu seras surprise de constater le nombre de choses qu'on peut apprendre des autres... et la joie qu'on éprouve à partager un PROJET avec un bon ami !

Sebastian, soulagé, adressa un grand *sourire* au professeur, pendant que Vanilla couvrait de sa main un léger bâillement.

Chacal se tourna à nouveau vers le groupe.

– Mettez-vous bien ça dans la tête, tous : le but de l'épreuve est d'apprendre à collaborer dans les moments DIFFICILES ! C'est pourquoi c'est une équipe, et non pas une personne, qui l'emportera !

– Combien de temps durera l'épreuve ? interrogea Paméla.

– De samedi à l'aube à dimanche au coucher du soleil, répondit Chacal.

Puis il retira lentement ses **LUNETTES MIROIR** et fixa les jeunes gens, l'un après l'autre, droit dans les yeux.

– À la fin, c'est moi qui désignerai la meilleure équipe, et mon jugement sera... **SANS APPEL** !

Sur ces mots, le groupe se sépara, chacun regagnant sa chambre pour se préparer.

Paulina se sentait un peu perdue : elle n'avait encore rien appris ni sur le « **BINÔME SPÉCIAL** » ni sur son rôle pendant l'épreuve ! Alors qu'elle était sur le point de réclamer ses instructions, Chacal lui adressa un *sourire* complice et ajouta :

– Paulina ! Vik ! Restez un moment, s'il vous plaît. Je dois vous expliquer quelques petites choses...

Durant tout le briefing, Vik était resté au fond du gymnase, feignant l'indifférence.

Or lui aussi mourait d'ENVIE de savoir ce qu'avait prévu le professeur. Vik n'avait pas participé à son cours, mais il trouvait cet enseignant très **sympathique** et il était sûr que, d'ici peu, il en verrait de *BELLES* grâce à lui !

MISSION SPÉCIALE

Chacal attendit que tous aient quitté le gymnase de manière à ce que seuls Vik et Paulina puissent l'entendre, et il sortit de sa poche les clés d'un **QUATRE-QUATRE**.

– Vous deux, vous aiderez à accompagner les six équipes dans les endroits convenus.

– Et ce sera tout ? rétorqua Vik d'un ton **sarcastique**, pendant que Chacal ouvrait une petite armoire derrière lui. Nous devrons seulement jouer les chauffeurs ? Une mission très **spéciale** !

Même Paulina se sentit un peu déçue.

Vik bâilla bruyamment.

– On peut y aller, maintenant ?

– **NÉGATIF !** répliqua Chacal. Je ne vous ai

pas encore dit le meilleur. Est-ce que vous n'êtes pas mon **binôme spécial** ?

– Mais qu'est-ce que ça veut dire exactement ? lâcha Paulina, qui ne pouvait plus contenir sa **CURIOSITÉ**.

Chacal répondit, amusé :

– Je vous ai réservé la mission la plus amusante et la plus fatigante de toutes… parole de Chacal ! et il leur confia deux **APPAREILS PHOTO** ultramodernes.

VOICI POUR VOUS !

– Vous devrez observer les concurrents sans jamais vous faire voir et immortaliser les moments les plus intéressants. Vous serez les **CHRO-NIQUEURS** de l'épreuve !

Paulina poussa un cri de joie :

– **WAOUH !** J'adore les reportages photographiques !

– Pour vos déplacements, vous utiliserez le quatre-quatre, poursuivit Chacal. Mais ensuite, il faudra vous approcher très discrètement, à pied, pour ne pas vous faire repérer... C'est seulement ainsi que vos **PHOTOS** saisiront le véritable état d'esprit des concurrents !

Puis il ajouta :

– Votre ligne de conduite secrète sera : **LAN-GOUREUX** et **SILENCIEUX** comme un paresseux de la forêt tropicale traversant la moquette !

ALLEZ, LES AMIS !

Ce soir-là, les deux clubs du collège, les Lézards noirs et les Lézards verts, réunirent leurs membres pour discuter de l'événement attendu de tous : l'*ÉPREUVE* de survie. Tous se demandaient qui seraient les premiers à ABANDONNER... lesquels réussiraient à aller jusqu'au bout... et surtout qui l'EMPORTERAIT !

Rapidement, des groupes de soutien aux différentes équipes se formèrent.

Le plus fourni et le plus bruyant était celui des fans de Craig, qui considéraient non sans envie l'heureuse Zoé.

Les fans de Nicky et d'Elly, moins tapageurs mais très chaleureux, soutenaient l'une des équipes favorites pour la victoire.

Enfin, il s'en trouva même pour encourager Vanilla, à grands renforts de **BANDEROLES**.

Les Téa Sisters quittèrent très tôt le club des Lézards noirs, car elles devaient se lever à l'**AUBE** pour se rendre à la forêt des Faucons.

Paméla serra Colette dans ses bras.

– Je suis désolée, Coco ! Je t'avais promis qu'on serait *ensemble*...

Mais son amie la rassura :

– Moi aussi, ça m'embête, mais je pense que cette épreuve nous réservera de belles surprises... Et, comme tu le sais, je suis une sacrée curieuse !

– Vous verrez, ce sera sûrement une *AVEN-TURE* magnifique ! ajouta joyeusement Nicky.

Paulina sourit et tendit la patte devant elle dans un geste que toutes connaissaient bien.

Paméla posa aussitôt la sienne par-dessus et les trois autres suivirent, s'exclamant en chœur :

– Mieux que des amies, des sœurs !

FAVORISÉE PAR LA CHANCE !

Zoé était la plus heureuse de tous les participants. Se retrouver en équipe avec son Craig adoré avait été un vrai de COUP DE CHANCE !

La jeune fille ne put fermer l'œil de toute la nuit, imaginant toutes les occasions *romantiques* qui pouvaient naître dans les bois.

– Je ne les laisserai certainement pas filer ! s'exclama-t-elle. C'est ma chance de me faire remarquer de Craig.

Passer deux jours en contact étroit avec lui était la garantie de le conquérir... Du moins le pensait-elle !

Elle passa un bon moment à choisir une **TENUE** de circonstance. Finalement, elle opta pour une minijupe argentée, un top fuchsia avec des ballerines assorties, et une panoplie de bracelets brillants.

Quand ce fut l'heure de descendre dans la cour, la lune resplendissait encore dans le ciel. Les vêtements de Zoé scintillèrent sous les rayons argentés comme sous les projecteurs d'une DISCOTHÈQUE !

JE N'AI RIEN À ME METTRE !

Pour la première fois depuis que tous deux avaient commencé à fréquenter le collège, Craig posa son regard sur sa camarade, la détaillant de pied en cap. Les vêtements qu'elle avait choisis étaient si **ÉTRANGES** et

inadaptés à une épreuve de survie en pleine forêt qu'il en resta bouche bée.

Mais comment s'était-elle donc habillée ?!

Puis il se reprit, mais réussit seulement à balbutier :

_ *Nom d'une* **époisse** *!*

Zoé le regarda, toute contente, et sourit, certaine d'avoir déjà fait son effet !

QUE L'ÉPREUVE COMMENCE !

Peu avant l'aube, Paulina et Vik accompagnèrent les équipes à leurs zones d'affectation respectives, puis ils passèrent immédiatement à la seconde phase de leur mission : le reportage photo secret !

Durant les leçons, Chacal avait expliqué qu'en pleine nature la première chose à faire était de décider où construire un ABRI ; puis, tout de suite après, de partir chercher de l'EAU et de la NOURRITURE dans la forêt.

Pourtant, une fois arrivée sur le lieu de l'épreuve, chaque équipe interpréta ces consignes à sa manière...

Craig, par exemple, ne prit pas le temps de regarder autour de lui pour déterminer l'emplacement *idéal* où construire son abri. Il se jeta sur la hachette et commença à **ABATTRE** arbres et arbustes.

– Ne reste pas plantée là, donne-moi un coup de main ! ordonna-t-il à Zoé, qui s'appuyait langoureusement contre un arbre. Élague les branches et débite les plus **GROSSES** en morceaux plus *PETITS* !

Battant ses longs cils d'un air étonné, elle demanda :

– Élaguer, ça veut dire quoi ?

– Enlève les feuilles et les rameaux pour obtenir des branches **LISSES** !!! rétorqua-t-il, exaspéré, maniant la hachette sans lui accorder un regard.

Zoé se résigna à lui obéir, mais ce n'est certainement pas comme ça qu'elle s'était imaginé conquérir le garçon de ses rêves !

À l'inverse de Craig, Tanja et Paméla étudièrent à fond la zone qui leur avait été attribuée. L'endroit regorgeait de buissons et de B A I E S .

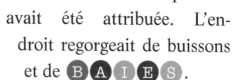

Tanja se révéla une grande experte en matière de PLANTES comestibles :

– Ma grand-mère Raïssa vivait dans la montagne ; elle m'a appris à les reconnaître ! Tu vois cette plante ? C'est une phytolaque et elle est très **VÉNÉNEUSE**... Mais une fois cuites, ses jeunes pousses sont comestibles.

PHYTOLAQUE

– Excellent ! s'exclama Pam, admirative. Ta grand-mère ne t'aurait pas aussi appris quelques recettes, par hasard ?

Tanja la gratifia d'un clin d'œil et dit en riant :

– Eh si, on est une famille de bons vivants !

Les deux filles découvrirent qu'elles avaient en commun la passion de la bonne **CUISINE** !

C'est pourquoi elles se lancèrent immédiatement à la recherche de baies, de tubercules et de champignons délicieux.

Au bout de quelques heures, elles se retrouvèrent très loin de leur point de départ. Elles s'arrêtèrent alors au bord d'une **SOURCE** pour étancher leur soif et laver ce qu'elles avaient récolté.

– Il nous faut du **FEU** ! dit Tanja, qui avait envie de commencer à cuisiner aussitôt.

– On a aussi besoin d'un abri ! observa Paméla, songeuse.

La chance était du côté des deux gourmandes, car elles découvrirent à deux pas de la **SOURCE** une grotte petite mais accueillante.

BLA
BLA BLA...
DES ÉQUIPES MAL ASSORTIES...

Contrairement à l'équipe de Tanja et de Paméla, celle d'Alicia et de Violet avait bien du mal à s'accorder !

Violet, silencieuse et sensible, n'aimait pas les bavardages dans le vide, mais plutôt la tranquillité et l'harmonie. Quant à Alicia, elle parlait... sans arrêt, même dans son sommeil !

UNE COMBINAISON DÉSASTREUSE !

Après un énième flot de PAROLES, Violet essaya gentiment d'arrêter sa camarade :

– Restons silencieuses pendant un tout petit moment, je t'en prie, pour pouvoir entendre les bruits de la forêt...

Alicia, étonnée, écarquilla ses grands yeux bleus.

– Les **BRUITS** de la forêt ? Mmmh oui, tu as raison, le bois regorge de petits bruits... On est comme dans le **FILM** *Seuls sur une île !...* Qu'est-ce qu'il m'a plu ! Jeff, le héros, est mon acteur préféré ! Bon, il faut aussi qu'on trouve à manger... Tu sais, moi, je peux manger ce que je veux, je ne grossis jamais ! Tu trouves que j'ai de la chance ? BLA BLA BLA BLA...

Malgré les efforts que faisait Violet pour garder son calme, la voix d'Alicia s'engouffrait dans ses pensées comme un grand COURANT D'AIR embrouillant toutes ses idées.

Sa camarade n'éprouvait-elle donc jamais le besoin de reprendre son souffle ?

Et ainsi Alicia continua à parler toute la matinée et tout l'après-midi, jusqu'à ce que...

– **Stooop !** explosa Violet, hors d'elle.

Alicia se tut immédiatement, stupéfaite.

Violet respira profondément et poursuivit :

– Écoute, on va se **PARTAGER** les tâches : tu trouves de la nourriture et, moi, je cherche un refuge pour la nuit, d'accord ?

Puis, elle retira son sac à dos et escalada un **ROCHER** dont l'extrémité plate faisait un excellent promontoire pour scruter les alentours. Dans le silence et la paix du bois, Violet réussit enfin à se **CALMER**. Elle s'assit un moment pour méditer et parvint à se détendre pour

la première fois depuis son départ du collège en compagnie d'Alicia…

Pendant ce temps, Colette, elle, s'ennuyait ferme. Jamais, même tout au début, l'idée de cette épreuve ne l'avait emballée. La perspective de passer deux jours dans la forêt sans son inséparable grosse VALISE ne lui plaisait pas du tout. Et, comme si ça ne suffisait pas, elle devait faire équipe avec Shen, qui n'arrêtait pas de parler de Paméla !

– Paméla est vraiment impressionnante ! répétait sans cesse le garçon. Je parie qu'elle remportera l'épreuve ! Elle construira un abri *fabuleux* !

Heureusement, au bout de quelques heures d'exploration, Colette trouva de quoi se distraire agréablement.

– Une CASCADE ! s'exclama-t-elle gaiement en courant vers l'eau cristalline qui tombait d'une arête rocheuse. J'ai eu bien raison de mettre mon

maillot de bain sous mes vêtements ! Bon, moi, je vais me baigner !

Shen la regarda en secouant la tête, incrédule.
Puis il se résigna à construire tout seul leur abri
pour la nuit, pendant que Colette s'ébattait dans
l'eau fraîche !

STRATÉGIES DE CHOC !

Nicky et Elly formaient l'équipe la mieux assortie de toutes. Non seulement elles étaient amies et prêtes à collaborer, mais en plus toutes deux avaient suivi avec grand intérêt les cours de Chacal.

– Il faut trouver un endroit SEC ! déclara Nicky.

– Mais il doit se trouver près d'une SOURCE pour pouvoir y puiser de l'eau dès qu'on en aura besoin !

Les deux amies s'entendaient à la perfection, et, pour elles, construire un abri et organiser leur campement fut une PARTIE DE PLAISIR.

Nicky et Elly ne suivirent pas l'exemple de Craig, qui avait abattu des arbres sans réfléchir.

Le mot d'ordre de Chacal était devenu le leur :
Respecter la nature à tout prix !

C'est pourquoi elles utilisèrent plutôt les **PIERRES** et les nombreuses **BRANCHES** cassées qui jonchaient le sous-bois.

Elles choisirent un endroit abrité, au pied d'un rocher élevé, et utilisèrent des pieux ainsi qu'une

CORDE tirée entre deux arbres pour y tendre la toile imperméable de leur cabane.

Puis elles fixèrent la *toile* au sol à l'aide de gros cailloux et de piquets.

Sous cette tente, elles tapissèrent le sol de feuillages de manière à ne pas dormir en contact avec l'HUMIDITÉ. Dehors, à quelques mètres de l'entrée, elles disposèrent des pierres en cercle pour y allumer un *FEU*.

– On a bien travaillé, non ? déclara Elly, SATISFAITE.

Nicky acquiesça en disant :

– Il ne nous reste plus qu'à trouver de la nourriture.

Contre toute **attente**, même Vanilla et Sebastian

avaient trouvé le moyen de s'entendre. Mais, de là à dire qu'ils collaboraient...

Dès le premier instant, Sebastian se mit en quatre pour épargner à sa camarade la moindre fatigue.

– Reste **tranquillement** assise, lui dit-il. Je m'occupe de tout !

Vanilla lui adressa un sourire mielleux.

– Si tu sais garder un petit **secret**, tu n'auras plus besoin de te démener...

En fait, Vanilla avait élaboré son propre « PLAN DE SURVIE » jusque dans les moindres détails : il ne puisait pas dans les conseils Chacal, mais dans les ressources de la TECHNOLOGIE !

Grâce à un puissant émetteur-récepteur, le fidèle secrétaire de sa *maman chérie* pourrait la localiser et lui apporter tout le nécessaire : une tente gonflable, de la nourriture, des jeux vidéos et même du MAQUILLAGE !

– Gagner cette épreuve sera une promenade de santé ! murmura Vanilla, oubliant que l'imprévu est toujours au coin du bois...

Un fort parfum d'embrouille !

Les derniers rayons de SOLEIL s'éteignaient à l'horizon lorsque Alan, le secrétaire personnel de Vissia de Vissen, arriva dans la forêt des Faucons.

Sous l'épais couvert des arbres, l'OBSCURITÉ devenait de plus en plus profonde, mais Vanilla avait ordonné à Alan de conduire tous phares éteints pour ne pas se faire repérer. Alors qu'il roulait à *VIVE ALLURE* dans la pénombre, il ne vit pas une branche tombée en travers du sentier et passa dessus.

CHTONKKKKKK!

UN FORT PARFUM D'EMBROUILLE !

Le quatre-quatre fit une embardée, et, de l'un des nombreux cartons entassés à l'arrière, s'envola une **BOÎTE DE CONSERVE** de fromage fondu, qui roula jusqu'au pied d'un gros **BUISSON**.

Alan ne s'était aperçu de rien et le quatre-quatre disparut dans un nuage de **POUSSIÈRE**.

Peu après, Shen arriva à cet endroit : il s'était aventuré dans le sous-bois à la recherche de

quelque chose à manger pendant que Colette s'amusait sous la petite cascade !

Complètement absorbé par sa passion pour la **BOTANIQUE**, Shen n'avait pas remarqué qu'il s'éloignait toujours plus de sa position de départ, et l'obscurité l'avait finalement pris par surprise. Il alluma immédiatement sa **TORCHE** électrique, prêt à faire demi-tour. Le faisceau lumineux éclaira un épais buisson qui semblait être une plante **AROMATIQUE**.

Shen, intrigué, s'approcha pour en détacher une branche, lorsque…

– Qu'est-ce que c'est que ça ? dit-il en se penchant pour ramasser la boîte de conserve. Du *fromage fondu* ? déchiffra-t-il, incrédule,

en essuyant ses lunettes pour être sûr d'avoir bien lu.

Il glissa la boîte dans son sac à dos et se remit rapidement en route. Lorsqu'il retrouva Colette, il lui montra fièrement le grand choix d'**HERBES** et de **BAIES** qu'il avait ramassées. Il connaissait par cœur le nom et les propriétés de chacune. Colette contempla sa récolte d'un œil fatigué ; puis elle prit timidement une baie et la goûta.

– **BEEERK !** Elle est amère ! protesta-t-elle avec une grimace.

– Elle est pleine de `vitamineC` ! dit Shen pour l'encourager. Une bonne

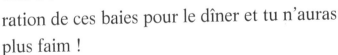

ration de ces baies pour le dîner et tu n'auras plus faim !

Colette tordit le museau, sceptique. Shen se souvint alors de la boîte de conserve qu'il avait trouvée.

– Sinon, il y a ça…

– Du *fromage fondu* ?! Où as-tu déniché ça ? demanda Colette, immédiatement intriguée par cette étrange **trouvaille**.

– Aussi incroyable que cela puisse paraître, elle était par terre, au milieu du sentier ! répondit-il.

– **Ça sent l'embrouille à plein museau !** Quelqu'un essaie de tricher ! Il faut élucider cette affaire…

LES IMPRÉVUS
DE LA MÉTÉO

Paulina et Vik s'étaient beaucoup amusés à COURIR secrètement d'un bout à l'autre du bois : ils avaient immortalisé leurs amis confrontés aux défis de la vie en pleine nature, et ils avaient bien RI !

La nuit tombait et ils rentraient au collège en quatre-quatre, FOURBUS mais contents.

– Regarde la tête de Zoé ! Trop DRÔLE ! Et Sebastian, le vol plané qu'il a fait ! commentait Paulina en passant en revue, sur les écrans de leurs appareils numériques, les clichés pris pendant la journée.

– Jamais je ne m'étais autant amusé ! avoua Vik. Pour ne pas me faire voir, j'ai rampé à travers les buissons et j'ai des feuilles et des petites branches partout ! HA! HA! HA!

Paulina aussi était franchement réjouie.

– Moi aussi ! Et puis, j'ai grimpé à un arbre et j'ai failli tomber sur Shen ! HÉ! HÉ!

Alors qu'ils reprenaient leur souffle après cette franche rigolade, ils entendirent un très léger bruit :

Ploc!

Le bruit se répéta encore et encore, de plus en plus martelant :

Ploc! Ploc! Ploc! Ploc! Ploc!

Le pare-brise s'émailla de gouttes de pluie grosses comme des pièces de monnaie.

Puis un éclair déchira le ciel, immédiatement suivi par le fracas du tonnerre.

CRAAAK!

Souvent, sur l'île des Baleines, le temps peut changer d'un moment à l'autre, et au printemps il n'est pas facile de prévoir l'arrivée soudaine d'importantes **AVERSES** !

En un instant, le challenge se transforma, pour les six équipes, en une épreuve de résistance beaucoup plus **ÉPROUVANTE** que ce qu'ils avaient imaginé...

S.O.S. ! S.O.S. !

L'abri construit par Craig à l'aide de troncs d'arbre était solide et parfaitement IMPERMÉABLE : ni la pluie ni le vent ne pouvaient y entrer.

Mais, si lui et Zoé pouvaient rester bien au CHAUD, ils étaient à cours de provisions !

– Je me suis CASSÉ deux ongles ! J'ai déchiré ma jupe et je me suis foulé la cheville ! ressassait Zoé, d'une voix PLEURNICHARDE.

– Et pourtant, tu n'as rien fait ! Durant toute la journée, tu n'as réussi à trouver que deux champignons et quelques fraises des bois ! gronda Craig. Tu es vraiment une *calamité* !

Les yeux de Zoé s'emplirent de larmes, et, sous sa mèche de cheveux violets, son visage PÂLIT.

Craig, lui tournant le dos, murmura entre ses dents :

– **QUELLE POISSE !** Il fallait vraiment que je tombe sur elle !

Tous les rêves de Zoé disparurent d'un coup : « Quelle brute, pensa-t-elle. C'est un égoïste sans cœur ! Je vais lui montrer ce qu'il en coûte de

me traiter comme ça ! Moi, *JE RENTRE* au collège ! »

Elle fonça droit sur le sac à dos, ouvrit la poche externe, sortit l'émetteur de détresse et... appuya sur le bouton rouge !

BIIIP !

Le signal fut immédiatement capté par les équipes de secours de Chacal, qui vinrent récupérer Craig et Zoé : pour eux, l'épreuve était **TERMINÉE** !

Une tout autre mésaventure attendait Shen et Colette.

Leur abri était moins solide et moins bien fixé au sol que celui de Craig. De plus, il se trouvait tout près d'un ruisseau coulant de la petite cascade.

Les *TROMBES* d'eau qui tombaient sur l'île des Baleines transformèrent ce cours d'eau en un

tumultueux torrent, qui emporta avec lui la FRÊLE cabane construite par Shen.

TRAÏAÏRANNK

Lorsque le courant atteignit Shen, celui-ci réussit à flotter et à s'agripper à un **arbre**. Mais Colette, surprise alors qu'elle se trouvait dans son sac de couchage, ne réussit pas à s'en extirper, car sa fermeture éclair était **COINCÉE**. Charriée par les eaux, elle hurla à pleins poumons :

À L'AIIIDE!

Shen entendit son cri et aperçut le sac de couchage orange qui dérivait lentement. Il rassembla tout son **COURAGE** et entra dans l'eau pour la rejoindre. Il faillit tomber plusieurs fois, mais finit par saisir un bout du gros PAQUET

imbibé d'eau, et, dans un grand effort, le coinça dans un arbre.

Les mains à nouveau libres, il tira d'un coup sec sur la fermeture éclair et la débloqua.

Colette surgit hors de sa prison comme un PAPILLON de son cocon.

Elle sauta au cou de Shen et lui colla une bise sur la joue.

SMACK !♥♥♥

Après cette frayeur et sans plus d'abri ni de feu près duquel se sécher, ils décidèrent d'appuyer sur le bouton rouge et de se retirer de l'épreuve.

BIIIP !

TOUS À L'ABRI !

Paméla et Tanja, elles, se trouvaient au chaud et au sec à l'intérieur de leur petite **GROTTE**.

Tanja avait préparé les tubercules, les baies, les pousses et même les fleurs comestibles qu'elles avaient ramassés. Et maintenant les filles pouvaient faire un bon dîner !

– Comme c'est agréable d'être à l'abri quand dehors il pleut ! observa Paméla, blottie auprès du feu, en tendant l'oreille. Tu entends comme le **VENT** souffle ! On dirait presque qu'il **HURLE** !

– De vrais hurlements, en effet ! s'alarma Tanja en s'approchant de l'entrée de la grotte fermée à l'aide d'une toile imperméable. Quelqu'un crie là-dehors !

Et elle avait raison : Violet et Alicia étaient en train de s'ÉCHARPER à l'extérieur !

– Tu as laissé nos sacs à dos dans le fossé ! Et maintenant comment penses-tu lancer le **S.O.S.** qui fera venir les secours ? protestait Violet.

– C'est ta faute ! Au lieu de t'occuper de l'abri, tu t'es mise à MÉDITER ! bramait Alicia.

Paméla les rejoignit.

– Qu'est-ce que vous faites sous la PLUIE ? Aussitôt, elle entraîna les deux filles vers la grotte :

– Suivez-moi au sec ! Trempées comme des SOUPES, Violet et Alicia fixèrent, éberluées, l'abri chaud et accueillant et s'y engouffrèrent.

Immédiatement, toute leur rancœur retomba et leurs visages se détendirent dans un sourire.

Tanja leur passa une gourde.

– Buvez ! C'est de la  toute chaude !

Alicia se sentit renaître.

– Mmmmh ! Délicieuse !

Quant à Violet, elle s'excusa auprès de Paméla :

– Merci de nous avoir recueillies, mais… les règles de l'épreuve interdisent aux équipes de se rencontrer. Si vous nous hébergez, vous serez **DISQUALIFIÉES** !

– C'est pas un problème ! s'exclama Paméla en clignant de l'œil.

Tanja était d'accord avec elle :

– Aider les amis, c'est le plus IMPORTANT !

TU ES UNE VRAIE AMIE !

SECOURS
EN ACTION

De leur côté, Vik et Paulina étaient presque arrivés à Raxford. Parvenus à l'entrée du collège, ils croisèrent Chacal, qui SORTAIT.

L'enseignant avait organisé des secours très efficaces, et, à mesure qu'il recevait les signaux des ÉMETTEURS de détresse, il envoyait des quatre-quatre récupérer les concurrents en **DIFFICULTÉ**.

– Est-ce que certains ont abandonné ? demandèrent les deux étudiants presque en même temps.

Chacal acquiesça.

– **Positif !** Et le premier a été votre ami sportif, Craig !

Puis, il s'éloigna en courant, agitant la main en signe d'adieu, vif et pressé comme d'habitude.

Paulina était tout de même inquiète : ses amis étaient dans la forêt avec ce temps épouvantable !

Même Vik, qui feignait l'indifférence, se faisait secrètement du souci pour sa sœur. Paulina poussa un soupir, puis proposa :

– Dis, si on allait

 qu'ils vont tous bien ?

– Bon… si tu y tiens… J'en profiterai pour faire des photos de l'orage ! marmonna Vik avec l'air d'accepter uniquement pour faire PLAISIR à sa camarade.

Mais, étrangement, il avait déjà à la main les clés du quatre-quatre.

Tous deux parvinrent rapidement à la TENTE de Nicky et d'Elly : même de loin, on pouvait voir combien elle était solide et protégée du VENT.

– Avec Nicky, pas besoin de s'inquiéter ! sourit Paulina, rassurée.

Puis, ils allèrent contrôler l'installation de Violet et d'Alicia. Mais, sur place, il n'y avait rien : ni un semblant d'abri ni les deux filles.

– Elles ont dû se retirer de la course ! commenta Vik, mais Paulina n'était absolument pas tranquille.

– Allons voir Paméla ! proposa-t-elle alors. Sa GROTTE est tout à côté. Peut-être sait-elle quelque chose !

Alors qu'ils approchaient de l'abri de Pam et de Tanja, ils entendirent un chœur de voix chantant un peu faux, qui se tut dans un grand éclat de rire.

Reconnaissant le rire cristallin de Violet, Paulina ne put s'empêcher de **COURIR** voir ce qui se passait dans la grotte.

– Violet ? Pam ? Alicia ? Tanja ?! s'exclama-t-elle dans un souffle.

Vik ajouta, goguenard :

– Vous avez remplacé l'épreuve de survie par une pyjama party ?

Les filles les accueillirent bien volontiers et leur offrirent de la nourriture préparée par Tanja.

Vik chuchota à l'oreille de Paulina :

– Reste ici avec elles. Moi, je vais prendre d'autres **PHOTOS**.

En réalité, il voulait s'assurer que Vanilla, elle aussi, allait bien.

Dès qu'il aperçut l'énorme tente **GONFLABLE**, il comprit qu'une fois de plus sa sœur avait choisi la solution de facilité !

– Vanilla est incorrigible, murmura-t-il en secouant la tête, dépité.

GRRR... DE QUOI J'AI L'AIR ?!

Vik était sur le point de partir, quand un éclair illumina la forêt.

CRAAAK !

La branche d'un arbre se cassa et, s'abattant sur la tente gonflable, la perfora.

BOUM... FCHHHH...

L'air commença à sortir et, très vite, la tente se ratatina. Sebastian et Vanilla se PRÉCIPI-TÈRENT dehors, juste à temps pour ne pas être pris au piège.

Alors qu'elle courait en robe de chambre et pantoufles, Vanilla glissa et tomba dans la boue !

SCHLAFFF !

Voyant cela, Vik ne put résister et appuya sur le déclencheur de son appareil photo...

FLASH !

Le lendemain matin, Chacal proclama la fin de l'épreuve. Elly et Nicky furent unanimement désignées comme les gagnantes, car elles avaient déployé les techniques les plus ingénieuses pour **SURVIVRE**.

Paméla et Tanja furent, elles aussi, félicitées :

– Vous avez très bien agi en portant secours à des camarades en difficulté ! Cela prouve que vous savez ce qu'est l'amitié véritable !

Quant à Vanilla, ne voulant pas se faire voir, elle passa la journée enfermée à double tour dans sa chambre, avec une C O M P R E S S E sur les yeux. Cette désastreuse épreuve l'avait conduite au bord de la **CRISE DE NERFS** !

Avant d'appeler les secours, elle et Sebastian avait dissimulé la tente *dégonflée*, puis, Alan, le secrétaire de Vissia, s'était occupé de faire *DISPARAÎTRE* toute preuve compromettante.

La tricherie de Vanilla n'avait donc pas été découverte, mais la jeune fille avait dû rentrer au collège crottée de pied en cap.

– GRRR... Je VAIS CRAQueR !

Puis, la boue avait irrité sa peau délicate, qui s'était couverte de plaques rouges.

– GRRR... Je VAIS CRAQueR !

Et, encore une fois, les Téa Sisters s'étaient illustrées grâce à la victoire de Nicky, au bon cœur de Paméla et au formidable reportage photo de Paulina.

– GRRR... Je VAIS CRAQueR !

Mais Vanilla n'était pas au bout de ses malheurs…

UN MAGAZINE RIEN QUE POUR NOUS !

La semaine suivante, les étudiants qui avaient participé à l'épreuve écrivirent des articles sur l'**EXPÉRIENCE** qu'ils avaient vécue.

Chaque texte était accompagné d'une des photos prises par Paulina ou Vik pour illustrer les plus BEAUX moments et les scènes les plus COCASSES de cette journée.

Le recteur demanda au directeur du magazine *Top Vacances*, un de ses anciens élèves, de lire ces reportages. Le journaliste les trouva si amusants qu'il décida de tous les publier dans un **numéro spécial** consacré au camping, avec une sélection des plus belles photos !

Lors de la *cérémonie* organisée dans l'amphi-théâtre pour fêter la fin de l'épreuve, chaque étudiant reçut un exemplaire du magazine.

Ce jour-là, Vanilla se présenta avec un chapeau dont la voilette couvrait entièrement son visage renfrogné. Dès qu'elle entendit murmurer qu'elle apparaissait sur la couverture de *Top Vacances*, elle retrouva toute sa *superbe...*

Pas pour longtemps : la Vanilla de la couverture, vêtue d'une robe de chambre, pataugeait dans la boue comme une ILLUMINÉE ! Et le dossier était titré : « Dix choses à ne jamais faire en camping ! »

Entre-temps, le recteur de Raxford avait pris la parole :

– Le professeur Chacal et moi-même sommes très **fiers** de vous ! Vous avez vécu une expérience unique et vous avez démontré combien il est important de collaborer. Vu le succès de ce

TOP VACANCES

Dix choses à ne jamais faire en camping !

NUMÉRO SPÉCIAL !

VOICI LES GAGNANTE

premier essai, j'ai décidé d'inviter le professeur Chacal pour un nouveau cycle de conférences, l'année prochaine !

De chaleureux applaudissements éclatèrent spontanément parmi le public...

BRAVO, LES FILLES ! *CLAP ! CLAP ! CLAP !*

Colette prit à part Chacal, un instant, et lui demanda tout bas :

– Professeur, a-t-on résolu le mystère de la **BOÎTE** de fromage fondu trouvée dans la forêt ?

– Non, aucun indice, répondit-il alors que son regard se posait sur Vanilla. Mais les petites **MOZZARELLAS TROP GÂTÉES** qui ont essayé de tricher auront le temps de méditer cette aventure... Et elles en tireront certainement une excellente leçon. **PAROLE DE CHACAL !**

TABLE
DES MATIÈRES

VENT DE PRINTEMPS   7

L'OURAGAN CHACAL !   11

UN COURS DE SURVIE   15

EN ROUTE, JEUNES CHABICHOUS !   22

ÉPREUVE À L'HORIZON   29

UNE PETITE MOZZARELLA
TROP GÂTÉE !   34

UN CADEAU SUSPECT...   39

ÉQUIPES SURPRISES !   43

LES RÈGLES DU JEU   49

MISSION SPÉCIALE   56

ALLEZ, LES AMIS ! 59

FAVORISÉE PAR LA CHANCE ! 64

QUE L'ÉPREUVE COMMENCE ! 68

DES ÉQUIPES MAL ASSORTIES... 73

STRATÉGIES DE CHOC ! 78

UN FORT PARFUM D'EMBROUILLE ! 84

LES IMPRÉVUS DE LA MÉTÉO 89

S.O.S. ! S.O.S. ! 93

TOUS À L'ABRI ! 99

SECOURS EN ACTION 103

GRRR... DE QUOI J'AI L'AIR ?! 109

UN MAGAZINE RIEN
QUE POUR NOUS ! 115

Geronimo Stilton

1. Le Sourire de Mona Sourisa
2. Le Galion des chats pirates
3. Un sorbet aux mouches pour monsieur le Comte
4. Le Mystérieux Manuscrit de Nostraratus
5. Un grand cappuccino pour Geronimo
6. Le Fantôme du métro
7. Mon nom est Stilton, Geronimo Stilton
8. Le Mystère de l'œil d'émeraude
9. Quatre Souris dans la Jungle-Noire
10. Bienvenue à Castel Radin
11. Bas les pattes, tête de reblochon !
12. L'amour, c'est comme le fromage...
13. Gare au yeti !
14. Le Mystère de la pyramide de fromage
15. Par mille mimolettes, j'ai gagné au Ratoloto !
16. Joyeux Noël, Stilton !
17. Le Secret de la famille Ténébrax
18. Un week-end d'enfer pour Geronimo
19. Le Mystère du trésor disparu
20. Drôles de vacances pour Geronimo !
21. Un camping-car jaune fromage
22. Le Château de Moustimiaou
23. Le Bal des Ténébrax
24. Le Marathon du siècle
25. Le Temple du Rubis de feu
26. Le Championnat du monde de blagues
27. Des vacances de rêve à la pension Bellerate
28. Champion de foot !
29. Le Mystérieux Voleur de fromage
30. Comment devenir une super souris en quatre jours et demi
31. Un vrai gentilrat ne pue pas !
32. Quatre Souris au Far West
33. Ouille, ouille, ouille... quelle trouille !
34. Le karaté, c'est pas pour les ratés !
35. L'Île au trésor fantôme
36. Attention les moustaches... Sourigon arrive !
37. Au secours, Patty Spring débarque !
38. La Vallée des squelettes géants
39. Opération sauvetage
40. Retour à Castel Radin
41. Enquête dans les égouts puants
42. Mot de passe : Tiramisu
43. Dur dur d'être une super souris !
44. Le Secret de la momie
45. Qui a volé le diamant géant ?
46. À l'école du fromage

47. Un Noël assourissant!
48. Le Kilimandjaro, c'est pas pour les zéros!
49. Panique au Grand Hôtel
50. Bizarres, bizarres, ces fromages!
51. Neige en juillet, moustaches gelées!
52. Camping aux chutes du Niagara
53. Agent secret Zéro Zéro K
54. Le Secret du lac disparu
55. Kidnapping chez les Ténébrax!
56. Gare au calamar!
57. Le vélo, c'est pas pour les ramollos!
58. Expédition dans les collines Noires
59. Bienvenue chez les Ténébrax!
60. La Nouvelle Star de Sourisia
61. Une pêche extraordinaire!
62. Jeu de piste à Venise

- Hors-série
  Le Voyage dans le temps (tome I)
  Le Voyage dans le temps (tome II)
  Le Voyage dans le temps (tome III)
  Le Royaume de la Fantaisie
  Le Royaume du Bonheur
  Le Royaume de la Magie
  Le Royaume des Dragons
  Le Royaume des Elfes
  Le Secret du courage
  Énigme aux jeux Olympiques

- Téa Sisters
  Le Code du dragon
  Le Mystère de la montagne rouge
  La Cité secrète
  Mystère à Paris
  Le Vaisseau fantôme
  New York New York!

Le Trésor sous la glace
Destination étoiles
La Disparue du clan MacMouse
Le Secret des marionnettes japonaises
La Piste du scarabée bleu
L'Émeraude du prince indien
Vol dans l'Orient-Express

- Le Collège de Raxford
  Téa Sisters contre Vanilla Girls
  Le Journal intime de Colette
  Vent de panique à Raxford
  Les Reines de la danse
  Un projet top secret!
  Cinq amies pour un spectacle
  Rock à Raxford!
  L'Invitée mystérieuse
  Une lettre d'amour bien mystérieuse

- Les classiques racontés par Geronimo Stilton
  Robin des Bois
  L'Île au trésor
  Le Livre de la jungle
  Peter Pan
  Alice au pays des merveilles

ÎLE
DES BALEINES

L'île des Baleines

1. Pic du Faucon
2. Observatoire astronomique
3. Mont Ébouleux
4. Installations photovoltaïques pour l'énergie solaire
5. Plaine du Bouc
6. Pointe Ventue
7. Plage des Tortues
8. Plage Plageuse
9. Collège de Raxford
10. Rivière Bernicle
11. *L'Antique Cancoillotterie,* restaurant et siège des *Messageries Ratiques* — *Transports maritimes*
12. Port
13. Maison des Calamars
14. *Zanzibazar*
15. Baie des Papillons
16. Pointe de la Moule
17. Rocher du Phare
18. Rochers du Cormoran
19. Forêt des Rossignols
20. Villa Marée, laboratoire de biologie marine
21. Forêt des Faucons
22. Grotte du Vent
23. Grotte du Phoque
24. Récif des Mouettes
25. Plage des Ânons

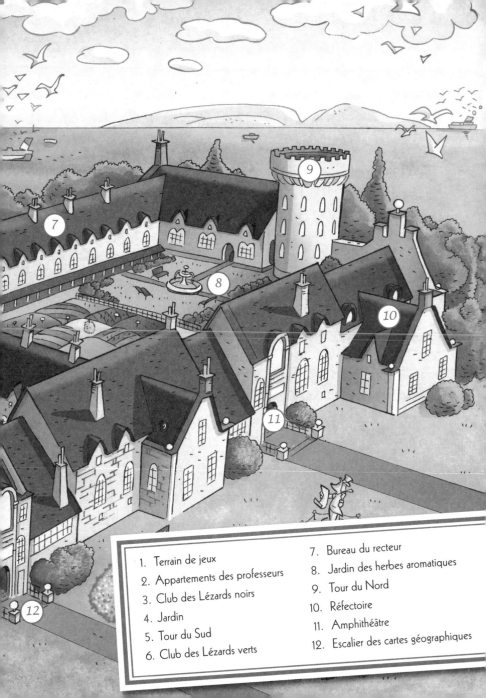

1. Terrain de jeux
2. Appartements des professeurs
3. Club des Lézards noirs
4. Jardin
5. Tour du Sud
6. Club des Lézards verts
7. Bureau du recteur
8. Jardin des herbes aromatiques
9. Tour du Nord
10. Réfectoire
11. Amphithéâtre
12. Escalier des cartes géographiques